Mario Ramos

TOUT EN HAUT

PASTEL
l'école des loisirs

PLOP PLOP PLOP   le crocodile.

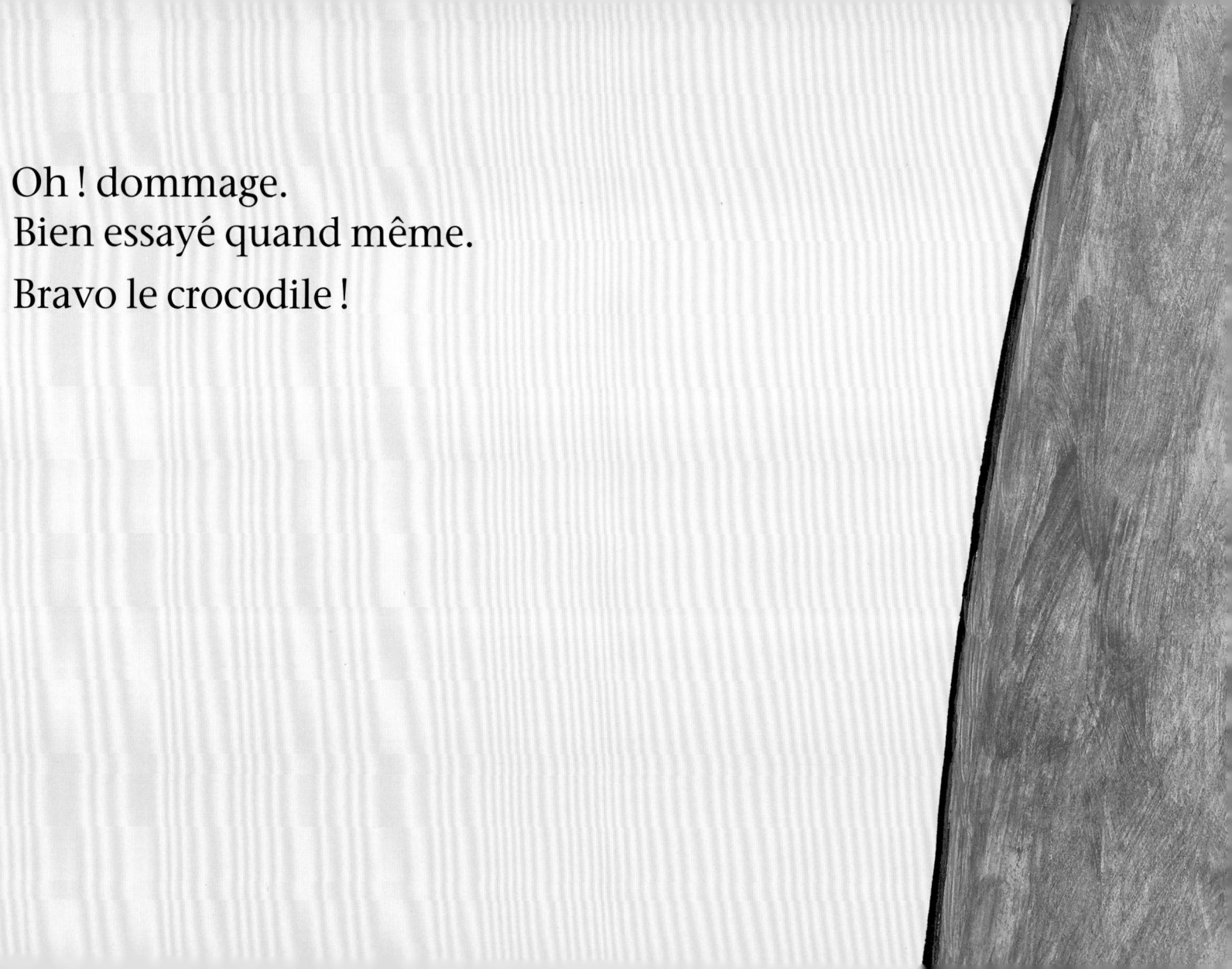

Oh ! dommage.
Bien essayé quand même.

Bravo le crocodile !

BAOUM BAOUM BAOUM l'éléphant.

Oh ! dommage.
Bien essayé quand même.

Bravo l'éléphant !

HOUF HOUF HOUF le rhinocéros.

Oh ! dommage.
Bien essayé quand même.

Bravo le rhinocéros !

Pom Pom Pom la girafe.

Oh ! dommage.
Bien essayé quand même.

Bravo la girafe !

Hi Hi Hi le singe.

Le singe
sur
la girafe
sur
le rhinocéros
sur
l'éléphant
sur
le crocodile.

Mais…
Que se passe-t-il ?

**BA
DA
BOUM**

Tout
le
monde
est
en bas.
Oh ! dommage.

Tiens…
Il manque quelqu'un.

Le singe !

Il est au sommet.
Tout en haut.
Plus haut
que
tous
les
animaux.

Enfin, presque…